MJ

D0591032

Quand on se couche,
on a des idées gris-brun,
et, la nuit, elles deviennent
tout à fait noires.

Madame de Sévigné

ISBN : 2-07-031405-2
© Editions Gallimard, 1989
numéro d'édition : 45131
dépôt légal : janvier 1989
imprimé en Italie

AGNÈS ROSENSTIEHL

le marron qui roule...

la châtaigne qui se mange...

la pomme de pin qui tombe...

la pomme de terre qui se ramasse...

les petites crottes de lapin...

la grosse bouse de vache...

la terre qui fait pousser les plantes...

le bois qui fait flamber les feux...

le thé qui réchauffe ...

le café qui réveille...

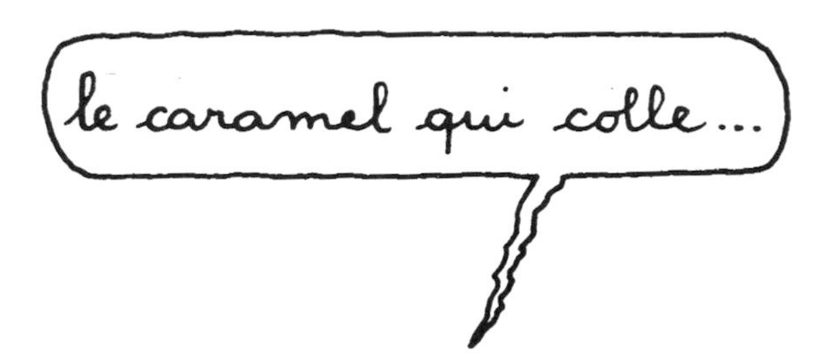
le caramel qui colle...

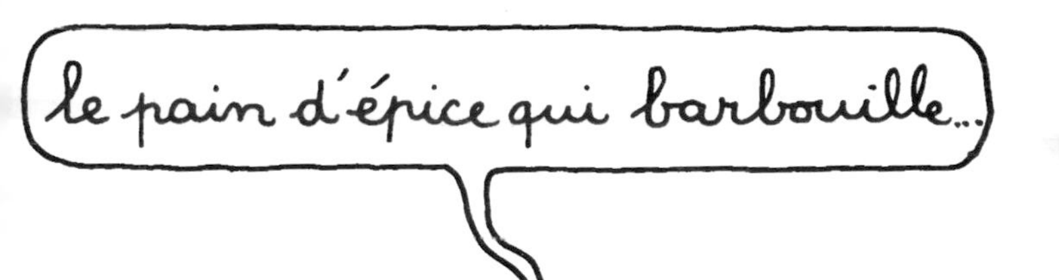
le pain d'épice qui barbouille...

le chocolat qui sent bon...

le cigare qui sent pas bon ...

c'est brun, brun, brun !..